DIC JONES
SGUBO'R STORWS

Pedwaredd Cyfrol o Gerddi

GOMER
1986

Argraffiad Cyntaf—Awst 1986

ISBN 0 86383 253 9

*Dymuna'r cyhoeddwyr gydnabod cymorth a chyfarwyddyd
Adrannau'r Cyngor Llyfrau Cymraeg a noddir gan Gyngor Celfyddydau Cymru.*

Argraffwyd gan:
J. D. Lewis a'i Feibion Cyf., Gwasg Gomer, Llandysul

Cyflwynedig i Tristan,
ac er cof am Esyllt

GAIR O DDIOLCH

Mae defod y diolchiadau yng Nghymru yn medru bod yn ystrydebol, yn ddiflas ac yn faith, ond nid o angenrheidrwydd yn llai diffuant oherwydd hynny. Mae i bob cogen ei phriod waith. Fe garwn i, felly, ddal ar y cyfle hwn i ddiolch am bob cymorth i ddwyn y gwaith i ben,

I T. Llew Jones, yn anad neb, unwaith yn rhagor.

I Wasg Gomer, unwaith yn rhagor.

I Lys yr Eisteddfod Genedlaethol a gwahanol eisteddfodau'r Sir yma, ynghyd â phob cylchgrawn yr ymddangosodd peth o'm gwaith ynddynt (unwaith yn rhagor).

I'r sawl sy'n debyg o brynu'r gyfrol (unwaith yn ormod??)

Dic Jones

CYNNWYS

Cynnwys—*Parhad*

MEWN LLYTHYR

Megis yn eithaf grym y storm y mae
Ennyd o osteg yn fyddardod mawr,
Neu'r lleuad rhwng cymylau fel petae
Yn fil disgleiriach na goleuni gwawr;
Megis y cwyd yr eog yn ei bryd
Yn uwch ei naid po ddyfna'r pwll islaw,
A dilyn drwy greigleoedd garwa'r rhyd
Ei siwrne ordeiniedig i'w phen draw;
Megis ar feysydd cad y gwelwyd holl
Eithafion dyn, ei orau a'i waethaf dall,
Mae heth a hindda y blynyddoedd coll
Yng nghiliau'r co'n dwysáu y naill y llall.
Nid oes na gwên na gwae pan ballo'r nwyd,
Na du na gwyn yn y cyffredin llwyd.

ER COF AM IFOR JONES, TANYGROES

Ym mhle heddiw mae'r hiwmor,—haul ei wên
    A'i haelioni ragor?
  Y lle'n drist, ond llawn yw drôr
  Y cof am branciau Ifor.

DINEFWR

Yma'n Ninefwr mae ein hynafiaeth,
Hengaer Rhys Frenin a'n gwâr sofraniaeth
Yn dew o iorwg ein hanystyriaeth
A rhawn mieri ein hanymyrraeth,
Magwyrydd magu hiraeth,—a'r hyder
Yfory a'n hadfer i'w heneidfaeth.

Glŷn yn y galon ei hen gywilydd
A'i hwyl a'i galar 'run fel â'i gilydd,
Y mae i drueni falm ei drennydd
A fynn ailennyn yr hen lawenydd,
Hen wae a hyder newydd—yn undod
Y rhod anorfod yn gylch na dderfydd.

A bydd c'weirio tant gogoniant gynnau,
Bydd eto'r nodded, bydd toi'r neuaddau,
Bydd caer dyhead, bydd cau'r adwyau,
Bydd cynnau'r tân a bydd canu'r tonau,
Yn ei bryd bydd ail barhau—moesau'r llys,
Syberwyd Rhys biau rhod yr oesau.

I EIRIAN, SIÔN A GUTO

Y mae hiraeth nas traethir—ynom bawb,
   Y mae baich nas rhennir,
  Mae'r nos yn aros yn hir,
  Ond yr haul a gostrelir.

I GOFIO AM B. T. HOPKINS

Paham yr wylwn uwch tymp marwolaeth
Hen ŵr a welodd dymhorau helaeth?
Ai am ei golli o'r hen gwmnïaeth?
Ai oherwydd fod cerddi ei hiraeth
Yn chwifio goruchafiaeth—oes fwy gwâr?
Eiddo galar yw y fuddugoliaeth.

CWTOGI

Torrir gwariant trugaredd,—ond erioed
   I rwysg mae digonedd,
  Mae bwyell uwch llogell hedd,
  Diwaelod pwrs dialedd.

TYST

Ofer i'r lleidr ar fore'r llys—wadu'i
   Weithredoedd esgeulus
  Na'i dynged, canys dengys
  Olion ei fai flaen ei fys.

CYWYDD COFFA TYDFOR

Y mae chwerthin yn brinnach
Heno, boe, gryn dipyn bach,
Y mae poen dy gwymp ynom
A cholyn y sydyn siom,
Mae clwyfau dy angau di'n
Rhy wael i unrhyw eli.

Oet frenin gwerin dy gwm,
Oet ei heulwen ers talwm,
Oet was ac oet dywysog
Â'i lys ym mhannwl y glog,
Daw'r don at ei godre du,
Ond ti ydoedd Cwm Tydu.

Yn y düwch distewi
Wnaeth trydar dy Adar di,
Ti gynnau oet eu gwanwyn
A'u llais yn irder y llwyn,
Pa gân, a'r gaea'n y gwŷdd,
A'r gaeaf yn dragywydd?

Oet frawd fy nghyntaf frydio,
Oet drech na'm hawen bob tro,
A thrwy y sir ni thau'r sôn
Am yr odlwr amhrydlon,
Oet ŵr rwff, oet ar wahân,
Oet dyner, oet dy hunan.

Oet yn ail dy wit i neb,
Oet dderyn, oet ddihareb.

Bonheddig, ddysgedig ŵr
O'r henoes, oet werinwr,
Oet gyfaill plant y gofwy,
Oet eu mab, ac nid wyt, mwy.

Oet eon, oet galon gêl,
Oet ŵr hybarch, oet rebel,
Oet wàg mawr, oet gymeriad,
Oet wres y tŷ, oet dristâd,
Oet ddyn y grefft, oet ddawn gre',
Oet y galon, oet Gilie.

ER COF AM CARWYN JAMES

Â'i drydanol draed unwaith—â'i ar wib
    Ddiarwybod ymaith,
   A'r un fel â'i ran filwaith
   Fu sydyn derfyn y daith.

Yn nhai dysg ofer disgwyl—y maswr,
    Nac ym maes y Brifwyl,
   Ni ddaw o gynnar arwyl
   Amsterdam i Strade'i hwyl.

Ar yr awyr yrŵan,—yn llennyrch
    Llên a chân ym mhobman,
   Yn Salem, a'r gêm, a'r gân
   Mae'r cof am Gymro cyfan.

YN ANGLADD TYDFOR

Noethlwm yn ein hiraethlef—yw'n hoedfa
    I ddwyn Tydfor adref;
   Beth sydd, yn nydd dioddef
   I'w ddweud, nas dywedodd ef?

Y mae cysgod trallod trwm—yn hollol
    Dywyllu pob rheswm,
   Y mae ein llên mwy yn llwm
   A gwae'i Adar ei godwm.

Angau dawn ac ing di-werth,—lluchio'r llwch
    Ar y llon a'r prydferth,
   Ei ddifa yn eitha'i nerth,
   Torri'i hynt ar ei hanterth.

Pa les heno gwrogaeth,—nac idiom
    Ein teyrngedau helaeth?
   Rhy hwyr bob tro yw hiraeth
   Pan ddisgyn y sydyn saeth.

Er i'r môr wisgo'i orau—er ei fwyn,
    A'r Foel ei holl liwiau,
   Nid haf sy'n dod â'r blodau
   A dyf ar gist fo ar gau.

Ni chlywir mwy uwchlaw'r môr—o riniog
    Y Gaer Wen mo'r hiwmor,
   Roedd y Gaer Ddu ger ei ddôr,
   A'r Wig a'i piau ragor.

ER COF,
AM Y CAPTEN J. O. DAVIES, FFYNNONWEN

Na chwrdd nac awen na chôr,—nac emyn
   Nis cymell na Chyngor,
  Y mae boneddwr y môr
  Â'i long wrth ddiogel angor.

I GOFIO LLEW PHILLIPS

Idiom y pridd yn frwd ym mhob brawddeg
A'r cwpled wrth law ni chawn ychwaneg,
Na geiriau modern yn ein gramadeg—
Y Llew yn gorwedd yn Llain y Garreg,
A chwlwm fferm a choleg—yn torri,
Fore difodi ei fôr Dyfedeg.

GOFAL

  Yn oriau hir y gofal,
    Roedd doe yn atgo tlws,
  Roedd Gofal wrth y gwely
    A Galar wrth y drws.

  Man lle bu dau obennydd,
    Heno nid oes ond un,
  A Galar wedi cysgu
    Lle'r oedd Gofal ar ddihun.

I OFYN AM OSTYNGIAD YN NHRETH Y DŴR

Bwrw a wnaeth ers mis bron iawn
Ar y Cofis a'r cyfiawn;
Dŵr yn y Gogledd a'r De,
A dŵr nid blydi whare,
Y mae dŵr yng Nghwm Deri
Hyd yn oed, ddywedwn i.
(Mae hwnnw'n ddigon mynych,
Ragor, yn sobor o sych!)
A'i rhoi-hi'n drwm am gryn dro
Heb ddowt y bydd hi eto.
I deithio'r fath wlyborwch
Nid car sydd eisiau, ond cwch.

Yna am naw, a mi'n hel
Mamogiaid, hyd fy mogel
Yn y dŵr, wele ddoe'n dod
'Order' gan eich awdurdod;
Gorchymyn, nid gofuned,
Mewn inc coch, yn mynnu ced
Na haedda gan Fedyddiwr
O Gardi am ddefni o ddŵr!
'Tae beth yw'r dreth, mae'n dra od,
Mae'n annormal, mae'n ormod.

Ac i wneud y drwg yn waeth,—
Y ffws am ryw garthffosiaeth!

Mantais twll mewn dwy styllen
Yw ei bod yn rhad dros ben,
A thŷ sinc ar waetha'i sent,—
Hen-ffasiwn ond effisient.

Dwli i neb yw dal y nant
I allforio'i llifeiriant
Draw i Loeger, bellter byd,
Sy ym moethau'i hesmwythyd,
A mo'yn o bris, ie myn brain,
Hanner ein pris ni'n hunain.

A chwi'n eich menni mynych
Yn hel sgwrs yn eich plas gwych.

Os yw'n iawn i Hasaan hen
Elwa ar olew yr heulwen
Yn Kuwait, pwy all nacáu
I mi olew'r cymylau?

Y mae perygl i Wigley
Yn dorf gael y wlad o'i du,—
Cofiwch ffwdan y Sianel,
Ufuddhewch i Ddafydd Êl,
Gallai Sais o bleidleisiwr
Ildio a dod i Blaid y Dŵr.

Felly, er dim, rhaid imi
Ofyn,—eich gorchymyn chi
I wneud, cyn yr elo'n hwyr,
Seis hwn yn nes i synnwyr.

AR ŴYL DDEWI (YN NYFFRYN GARW)

Mae gennym le i ddiolch
  Ym mil naw wyth deg dim
Ar ddyfod Misus Thatcher
  I fewn i orsedd Jim.
Mae'r gweithiau dur peryglus
  A'r pyllau glo yn cau,
Keith Joseph sy'n cael y diolch,
  Max Boyce sy'n cael y bai.

Fe gafwyd refferendwm
  Ar Ddydd Gŵyl Dewi Sant,
A gwelwyd fod y Cymry
  I lawr i ddeg y cant,
A digon da oedd hynny,—
  Bydd yr 'odds' yn decach—mwy,
Waeth mae saith o Gymru'n cyfri
  Fel wyth ohonynt hwy.

Mae gennym le i ddiolch
  Am wŷr fel Graham Price,—
Ac erbyn meddwl, fallai
  Mai diolch ddylai'r Sais,
Waeth os yw'r wlad mewn picil
  A'r economi yn llwyd,
Fe ddysgodd i Fran Cotton
  I bori am ei fwyd.

Mae gennym le i ddiolch
  Am y Prinses Margaret Rose,
Mae'n sticio at y Cymry,
  Hyd pryd, *God only knows*.

Mae'i whâr yn cadw corgwn
    A'i mab yn medru'r iaith,—
'Does bosib i ni golli
    A'r pethau hyn ar waith.

Dywedir nad oes ffenest
    Yn olau yn Nhresaith
Na llawer pentre arall
    Ar hyd y gaeaf maith,
Mae gennym le i ddiolch,
    (Ond cadwch e dan eich hat,)
Fe all fod tân yn parlwr
    Os nad oes yn y grat.

Mae gennym le i ddiolch
    Am Hywel Teifi on'd oes?
Er nad yw pawb yn sicir
    Pa bryd mae'n tynnu coes.
Fe ddysgodd un peth inni,—
    Os rhegi, rhegi â graen,
Os gwybod, gwybod popeth,
    Os dweud, ei ddweud yn blaen.

Mae gennym le i ddiolch
    Am gael dod fel hyn ynghyd
Heb eisiau ymddiheuro
    I enaid yn y byd.
Mae gennym le i ddiolch
    Am freintiau lawer cant,
Diolch am Ddyffryn Garw
    A diolch am Ddewi Sant.

19

CYWYDD TEYRNGED I W. R. EVANS

Doed y gŵr fu'n dad y gân
I'w fawrhau'n ei fro'i hunan,
A bryniau bro ei eni
Yn clywed nerth ein clod ni
I'r gŵr na fu'i ragorach,
A lanwai lên â'i hwyl iach.

Yn aflwydd dyddiau diflas
Hanes glew fu i'r wisg las,
Llywiwr cerdd y gyngerdd gynt
A'n haul yn nyddiau'r helynt,
Twll o le oedd y cread,
Ond rhywfodd fe lonnodd wlad.

Yn eu dydd trindod oeddynt,
Diwahân yn y gân gynt,
Tair awel o'r Tir Hela,
Tair alaw hoff, tri haul ha',
Truan ddydd, aeth y tri'n ddau
A'r ddeuddyn yn eu gynnau.

I Fwlch-y-groes rhoes ei fryd,
Ei ofal a'i enw hefyd,
A chreu yno do sy'n dal
Yn wyrda yn eu hardal.
Pa fodd y dibrisiodd bro
Ei phlentyn ei hun yno?

Llond rŵm mewn llên a drama,
Man y daw mae cwmni da,
A'i rugl lefaru hyglyw'n

Llond ceg o'r Ddyfedeg fyw,
Haen o Lynseithmaen yn siŵr
Ebrwydd wit y Barddotwr.

Daeth i dalar yr arad,
Hir a fo'n awr ei fwynhad
Yn haeddiannol hamddena
Yn nyddiau aur diwedd ha'.
Yn Felinfoel eu nef hwy
Fo i hwn a'i Fyfanwy.

ER COF AM Y CAPTEN JAC ALUN

Rhag llid y storom ddidor,—yn anterth
   Corwyntoedd y culfor,
  Y llong a gyll ei hangor,—
  Mae ar drugaredd y môr.

Galar ni ad ymgeledd,—y galar
   Sy'n galw'n ddiddiwedd,
  Na rennwch farn uwch ei fedd,
  Tewi yw'r gorau trugaredd.

Ei iach gyfarch a gofiaf,—a'i 'Helô'
   Ar y lein tra byddaf,
  Ac i'r nos, cario a wnaf
  Lwyth ei 'Hwyl' y waith olaf.

GWAITH

Mae i ymdrech ei hiechyd,—i ymlâdd
    Mae ei lwyddiant hefyd,
   Mae i orchwyl hwyl o hyd,
   Mae i waith ei esmwythyd.

DRWS

Oni fedd ei allwedd o,—y dieithr
    Nid yw yn mynd drwyddo,
   Ond egyr heb ei guro
   I siriol lais rhyw 'Helô'.

LLANGOLLEN

Nid o lid y daw melodedd,—nid dwrn
    Sy'n trin tant perseinedd.
   A wna fiwsig â'i fysedd
   Ni ddwg ei law ynddi gledd.

GWEDDI DROS Y GOLFFWR

Lle gwelych y fflag uchel—d'ergydion
    Fo'n union eu hannel,
   Cadwer o'r byncer dy bêl,
   A'th ddreif fo'n hir ei thrafel.

Y GARDDWR DIOG

Fe drôi ef dir ei ofal,—hyd yn oed
    Yn Eden, yn anial.
  Trwy'r dydd byddai'n treio dal
  Efa, i ddiawl â'r afal.

CRYMAN

Mae wrthi eto heddiw
  A'i gryman yn glanhau
Y llwybr i Gwm yr Esger
  Oedd wedi hen, hen gau.
Mae'r Clwb Cerddeta yma'n dreth,
Fe fyn ei hawliau ym mhob peth.

Mae fel myfi yn cofio
  Ei gerdded lawer gwaith
Pan na chaem gwrdd â chryman,
  Na chalen hogi chwaith
Ers llawer dydd, ond nid oedd drain
Yn tyfu man lle cerddai nain.

TOMI ABERBANC

Ebolion 'nhaid o'm blaen i,—a rhai nhad,
    Eu trin wnaeth 'rhen Domi,
   Ac yn awr i'n hogyn ni
   Daw â'i hwyl i bedoli.

I ANEURIN JONES, ABERTEIFI
(I ddiolch am fedwen arian yn anrheg ar
ein priodas arian.)

Gyda'r goeden fedwen fain
Anrhegaist bump ar hugain.
Eidea hyfryd awen,—
Y syniad bardd sy'n dy ben.
Ti erioed nid est ar ôl
Y syniad confensiynol,
Unigoliaeth y galon
Yw'r un gwerth sy' werth y sôn.

CYWYDD DIOLCH

Ar war ein huniad arian
Awchus wyf i gyfarch Siân,
Am gyd-roi, am gadw'r hedd
Â minnau mewn amynedd.

Am wnio, am gymhennu,
Lleihau'r tacs a llywio'r tŷ,
Am fwydo'r gath, am fedr gwau,
Am oddef fy nghamweddau.

Am wrando, wrth rodio'r iard
Ar rwtsh prydyddol Richard,
Am gau'r ieir, am gario'r olch,
Mae'n dda i minnau ddiolch.

CYWYDD CROESO I SASIWN Y DE I FLAENANNERCH

Pan ddaw'r egin 'leni'n las,
A Mai'n gwneud ei gymwynas,
Bydd, ar grefydd sydd â'i serch,
Â'i annel at Flaenannerch,
I fawrhau, o demlau'r De,
Gewri'r Gair ar eu gore.
Deled gwlad i aelwyd gwledd
I rannu'r hen wirionedd.

Pwy a ŵyr na ddaw i'r paith
Yr awelon yr eilwaith,
A chynnau y wreichionen
A ddwg y mwg yn fflam wen?
Lle'r aeth un arall allan
Onid hawdd yw cynnau tân?

Mae croeso'n ein bro o'r bron
Yn dod o waelod calon,
Ardal wledig ford-lydan
Sy'n dal i gynnal y gân,
A fyn, doed dieithryn i de,
Gyrraedd ei llestri gore.

Mae gras yn dwym ei groeso
I bawb pwy bynnag y bo.
Bydd yma ddôr agored
Yn enw Crist a Duw'n cred
I chwi pan fo ceirch a haidd
Caeau Mai'n eciwmenaidd.

ER COF AM AUSTIN JAMES, MORAWEL, BLAENPORTH

Y gorau o gymdogion,—garw'i air
    Ond gŵr hael ei galon,
  Yn ei swae yn rhoi'n ddi-sôn,
  A hynny ar ei union.

Cymydog y cae medi—helyntus,
    A'r plant arno'n ffoli,
  Croyw'i farn, ond os cryf hi,
  Diddannod ei ddaioni.

Pwy ŵyr ddyfnder pryderon—y dioddef
    Yn y dyddiau duon?
  A'r chwilio taer uwchlaw ton
  Ei ofid wrth yr afon.

Clawr cist sy'n celu'r cystudd,—ar dalar
    Dwylath o fedd newydd,
  Mwy yn ei ro y mae'n rhydd
  O'i boenau diobennydd.

LLAWENYDD

Pabell unnos ydyw pob llawenydd,
Dyfod anorfod rhyw siom a'i gorfydd,
Fe dry y rhod ac fe dau'r ehedydd,
Pob gwaith dry'n ddiffaith, pob fflam a ddiffydd;
Ond er gwae, yn dragywydd—daw heb ball
Ryw wên anneall o hyd o'r newydd.

YR HYDD GWYN (LLANDDAROG)

Hen dylwyth, hen adeilad,—hen dderi,
 Hen ddôr a hen siarad,
 Hen groeso a hen doad,
 Hen le hoff, hen dafarn gwlad.

EIDDEW

Y mae, wrth droed y goeden,—yr eiddew'n
 Yr un pridd a'r fesen,
 Oddi ar pan oedd y dderwen
 Yn ddeiliach bach, mae ar ben.

IORWG

Tw ir y difaterwch,—yn breuhau'r
 Hen bren â'i eiddilwch,
 Tynhau ei dendriliau'n drwch,
 Gan ei dagu'n ei degwch.

Rhubanau ir y bonyn,—a glasdwf
 Esgeulustod rhywun,
 Dolennau dail yn we dynn,
 A chnaif harddwch hen furddun.

AR YMDDEOLIAD WNCWL WYN

Haeddiannol yw hamddena—ar dalar
    Deilwng y gwys ola',
  O wneud unwaith dalcwaith da
  Gillwn mewn pryd sy galla'.

Cyn i'r gofal droi'n galed,—ac i raen
    Y grefft droi'n gaethiwed,
  Cyn y daw'r awr yr ehed
  Y llwyddiant a throi'n lludded.

Fe wyddoch nad yw cochyn—yn enwog
    Am amynedd ronyn,
  A'r boe byrra'i babwyryn
  O'r cwbwl yw Wncwl Wyn.

Diau fod oriau hiraeth—aflonydd
    O'i flaen yn yr arfaeth,
  Ond aeth heibio'r cwrsio caeth,—
  Llonydded mewn llenyddiaeth.

Caffed, yn ei ardd Eden,—fyw yn hir
    I fwynhau ei hamdden
  Yn bowlio ambell belen,
  'Rhen gôr, a llyfr, neu greu llên.

Gwrando'r Gair a nodau'r gân,—ar y Sul
    Rhoi i'w swydd ei gyfran,
  Rhoi o'i lafur i lwyfan,
  I ddyn neu Dduw'n ddiwahân.

Boed alaw ar yr awel,—boed i'w byd
    Ei Ha' Bach Mihangel,
  Yntau'n un ag Anti Nel,
  Hydrefed wedi'r drafel.

MUNUD

Heb arhosach na brysio,—yn y ras
    Daw bys yr awr heibio,
  Ond ar y trac, rownd i'r tro,
  Y mae bys am ei basio.

TEYRNGARWCH

I ben y lôn yn fy nanfon o hyd,
Yna ni chilia tan fy nychwelyd,
Ar waethaf cerydd yn ufudd cyfyd,
A chan wylo'i chnul i'w chwe anwylyd
A'i gwâl yn wag, glŷn o hyd,—gan redeg
Am y gwartheg, ac nid byth y'm gwrthyd.

LLIDIART

Y llidiart wedi'i hagor
A'r pridd yn gefen coch,
A'r angladd wedi'i drefnu
Ar gyfer dau o'r gloch.

I lawr yng Nghae Tanfynwent
A hithau'n dymor hau,
Mae'r cefen ar ei hanner
A'r llidiart wedi'i chau.

GALARNAD

Trwy bennod ein trybini—gwn y'n dwg
    Ni'n dau ryw dosturi
   Yn y man, ond mwy i mi
   Glyn galar fydd Glangwili.

Mae'n galar am ein gilydd,—am weled
    Cymylu o'r wawr newydd,
   Galar dau am gilio o'r dydd,
   A galar am gywilydd.

Dygwyd ein Esyllt egwan,—man na chaiff
    Mwy na chôl na chusan,
   Beth sy'n fwy trist na Thristan
   Yn ceisio cysuro Siân?

Ei hanaf yn ei hwyneb,—yn gystudd
    O gwestiwn di-ateb,
   Ac yn ei chri i ni, er neb,
   Anwylder dibynoldeb.

Nef ac anaf fu'i geni,—caredig
    Gur ydoedd ei cholli,
   A didostur dosturi
   Ei diwedd diddiwedd hi.

Amdo wen fel madonna,—yn storom
    Y distawrwydd eitha,
   Ar ei bron cenhadon ha',
   A'i grudd oer fel gardd eira.

O dan y blodau heno—mae hen rym
    Mwyn yr haf yn gweithio,
  A chysur yn blaguro
  Lle mae'i lludw'n cadw'r co'.

Yn nagrau'r gwlith bydd hithau—yn yr haul
    Wedi'r elom ninnau,
  Yma'n y pridd mwy'n parhau,
  A'i blawd yn harddu'r blodau.

Nid yw yfory yn difa hiraeth,
Nac ymwroli'n nacáu marwolaeth,
Fe ddeil pangfeydd ei alaeth—tra bo co',
Ei dawn i wylo yw gwerth dynoliaeth.

YN ANGLADD GERWYN

Yr hwyl a'r llawer helynt—a beidiodd,
    Mae'r byd yn wag hebddynt,
  Yn y gân roedd pedwar gynt,—
  Y tro hwn tri ohonynt.

Claf heddiw llaw celfyddyd,—ar ddweud pert
    Rhoddwyd pall disyfyd,
  Tau'r gân a'i melystra i gyd
  Os yw'r saer is ei weryd.

ATGOFION

Ai ddoe ai echddoe oedd hi,
Ai yng ngwanwyn fy ngeni?
'Roedd yno gerdd yn y gwynt
A gwern â chogau arnynt.
'Roedd heulwen y bore'n bêr
Yn yr Eden ddibryder,
A hud y gwaharddedig
Yn her barhaus ar ei brig.

Nid oedd nos i'n dyddiau ni
Yn nhymhorau ein miri.
Drwm y gad oedd strem y gwynt,
Cerddi cawraidd y corwynt.
Chwarae'n haul diddychryn ha'
A chwarae'n y lluwch eira.

Ond 'roedd distaw su'r gawod
Draw'n y dail drwy'r deri'n dod
Yn ddigymell ambell waith,
Nes dôi'r haul drosti'r eilwaith
A bwa'r arch dibarhad
I'w hymylu am eiliad.

Ond mae heddiw'n friw'n y fron
Hen gywilydd y galon.
Gŵyr y lindys greulondeb
Y llafn main na welai neb
Yn well nag asgell esgud
Iâr fach yr haf uwch yr ŷd.
Y mae o hyd ar fy moch
Wae'r atgo'r un mor writgoch.

Mae hen ffolineb mebyd
A'i fai'n fyw ynof o hyd,
Ond os darfu'i bechu bach,
Ymhle mae ei hwyl mwyach?
Law yn llaw i ble mae llanc
Dyheu doe wedi dianc,
Na ddoi'i Eden freuddwydiol
A'i chogau'n iach i'w go'n ôl.

Y CILIE
(Ar garreg fedd Jeremiah Jones, tad y llwyth,
  torrwyd y geiriau, Gof, Amaethwr, Bardd)

Oherwydd dod o'r gof i gynnau tân
A thasgu o'r gwreichion byw o'i eingion ef,
Fe gydiwyd harn wrth harn yn ddiwahân
Yn sicr dreftadaeth ei ddeheulaw gref.
Oherwydd i'r amaethwr droedio'r tir
A'i bâr ceffylau'n medi, trin a hau,
Mae'r Foel a Pharc y Bariwns eto'n ir
A'i waddol yn y ddaear yn parhau.
Oherwydd wylo o'r bardd uwch tynged dyn
A chawraidd chwerthin uwch rhyfeddod gair
Neu dorri strôc, mae'r gân a'r gelf yn un,
Y mae i arwyl ing, a hwyl i ffair.
Mae'r Cilie'n Gymru, a Chymru'n Gilie i gyd,
A thrai a llanw'r ddwy yw cwrs y byd.

AR YMDDEOLIAD Y PARCH. D. HUGHES JONES

Daeth hwsmon y gwirionedd—i dalar
    Deilwng deugain mlynedd,
    A daeth, wrth ddatod y wedd,
    Gwas Duw â'i gŵys i'w diwedd.

Bydd gwaith ei ddwylo'n tonni—yn oesol
    Ym meysydd ei egni,
    Ar ei ôl mae yn y tri
    Gnwd aur ei genadwri.

Ei weddi'n argyhoeddiad,—a'i bregeth
    Yn brigo'n ei siarad,
    Ei chwerthin yn ordinhad,
    A'i ddwli yn addoliad.

Mae'r awen yn ei enaid,—a byw weld
    Y bardd yn ei lygaid,
    Ac yn ei wên ryw hen raid
    I rannu baich trueiniaid.

Ond er dod awr y didol,—a dod oed
    Diwedydd haeddiannol,
    Nid yw ef a fu'n hau dôl
    Ei Dduw fyth yn ymddeol.

COFFÂD

Hir yw galar i gilio,—ac araf
    Yw hen gur i fendio,
    Am un annwyl mae'r wylo'n
    Ddafnau cudd o fewn y co'.

AR YMDDEOLIAD Y DR. EMRYS EVANS

I fyd oer trafod arian—y rhannodd
    Ei warineb llydan,
  Un enaid â dwy anian,
  A'r ddwy wedd mor ddiwahân.

Rhoi o'i gyngor rhag angen—i'n Henwyl,
    A'i wasanaeth hirben,
  Deuwell yw cyllid awen,
  A diogel llogell llên.

Emrys y Llys a'r lleisio,—ac Emrys
    Camra'r banc sy'n gwrando,
  Yr Emrys trefnus bob tro,
  Ac Emrys Evans Gymro.

The farmer and the foreman,—the boardroom
    And the bard-robed Welshman,
  The artist and the Christian
  All with a smile hail this man.

May ill be spared him always—as he walks
    Through those years of Sundays
  In bowers and in byeways
  A shared world of leisure days.

PAPUR BRO

Eich manion chwi a minnau—yw deunydd
    Dinod ei golofnau,
  Eto'i nerth yw ein tynhau'n
  Ein dibwys ddiddordebau.

HALEN

I'n balans metabolig—ei risial
    Drysor sy'n holl bwysig,
    Ein hiachâd yw ychydig
    Gyda'r cawl ac i gadw'r cig.

WYNEBAU

Mae wyneb arall i'r wedd a feddaf,
Yr hwn na welodd fy rhai anwylaf,—
Wyneb fy meiau a'm hofnau dyfnaf
Sy'n fy ngoddiwes, ac nas cyffesaf;
Yn y drych pan edrychaf—nid yw'r drwg
Yn y golwg, ond myfi a'i gwelaf.

EILIAD

Hwnt i ryw ffin nad oes mo'i diffinio
Mae dechrau'n ddarfod, a bod yn beidio.
Hen ydoedd heddiw yng nghrud ei ddyddio,
Yn ddiarwybod yn ddoe'r â heibio.
Mae'n barhaus, y mae'n brysio—yr un pryd,
Mae oesau'r byd yn yr ennyd honno.

TŶ BACH

Ni bu neb heb ei nabod,—sêt hwylus
    At alwad anorfod,
    Beunydd i bawb, bu'n dda bod
    Tŷ Bach i gwato'i bechod.

Y LONCIWR

Â'i gig i gyd yn gwegian,—troediwr tew
    Ar drot hwch yn tuchan,
   Hen ŵr stiff gyda brest wan,
   A photiwr yn ffit-ffatian.

BILIDOWCAR

Nid o gân daw digonedd,—nid diog
    Yw pob tawel eistedd,
   Nid ei lun sy'n dod â'i wledd,
   Mae i anian amynedd.

DAEAR

Ddoe yr aeth gwennol ofod
    I ffwrdd ar gefn ei mwy,
Ac arddwr yn troi'r gwndwn
    Yn gweld eu myned hwy,
Ond ni sylwodd y teledydd
    Ar y fwyaf gwyrth o'r ddwy.

Heddiw mae'r wennol ofod
    Mewn hangar wedi'i rhoi,
A'r egin eto'n glasu
    Lle bu'r arddwr yn ymroi;
Y sawl sy'n trin y ddaear
    Sy'n cadw'r byd i droi.

FFANFFÊR

Dathlwn glod yr hen Eisteddfod
   Wedi dod o'r llwythau 'nghyd,
Ymfalchïwn gyda'n gilydd
   Yn ein Gŵyl yng ngŵydd y byd,
Yng ngwresogrwydd ein cyfeillach
   Am un wythnos yn yr haf
Rhown eu lle i bethau'r ysbryd
   Boed neu beidio'n dywydd braf.

Ymhyfrydwn ym mherseinedd
   Llais yn llifo fel y môr,
Llaw athrylith ar y delyn
   A cherddorfa, crwth a chôr.
Boed i'r alaw gael ei hadlais
   Yn nyfnderoedd cudd y fron,
A'r gynghanedd yn yr enaid
   Boed y nodau'n lleddf neu'n llon.

Doed adroddwr i'n gwefreiddio
   Â champweithiau cewri llên,
Ag acenion iaith y nefoedd
   Boed yn ddwys neu ar ei gwên.
Llifed eto yr hen chwedlau
   Atom gyda'u rhyfedd rin
Dros wefusau cyfarwyddiaid
   A'u lleferydd fel y gwin.

Gydag eofn ganiad newydd
   Doed yr ifanc fel erioed
I dabyrddu ar y llwyfan
   Ac ysgogi traw ein troed,

Ynom ffrydied cyffroadau
   Yn eu rhythmau hanner gwâr,
Codwn galon gyda'n gilydd
   Yn sŵn tabwrdd a gitâr.

Boed i'r neb a garo ddrama
   Gael ei wala o fwynhad,
Yn lleferydd meistri llwyfan
   Ac actorion penna'r wlad,
Deued tebyg at ei debyg
   Yn orielau lliw a llun
I fawrygu llaw a llygad
   Mewn celfyddyd yn gytûn.

Ac i'r neb nad yw ei elfen
   At gerddoriaeth, celf na llên,
Dathled gyfeillgarwch newydd
   A chofleidied eto'r hen,
Mae erioed ym Mhrifwyl Gwalia
   Rywbeth i'r distatlaf un,—
Y mae bod yn sŵn y Pethe
   Yn ddiwylliant ynddo'i hun.

DIOLCH

Os cododd ein cyfnod prin ei rinwedd
Y Brenin Arswyd bron iawn i'r orsedd,
Os yw yn dewis yn sŵn y diwedd
Fwrw ei fara ar ryw oferedd,
Diolch fod hyn o duedd—fyth ynom;
I garu ohonom y gwirionedd.

MISERERE

Na'm gofid mae gofid gwaeth—mi a wn,
    Ym mynwes dynoliaeth,
   Ond nid yw lon galon gaeth
   Am un arall mewn hiraeth.

Mae gwaeth llwyth ar dylwyth dyn—i'w wanhau,
    Na'm un i o dipyn,
   Mae rhyw wae mwy ar rywun
   Ond chwerwaf ing f'ing fy hun.

Llidiog gymylau llwydion—yn un cylch
    Yn cau eu pryderon,
   A'u gwasgu du'n don ar don
   Yn trymhau'r twr amheuon.

Aeth hwyl pob gorchwyl dros go',—nid yw byw'n
    Ddim byd ond mynd drwyddo,
   Wedi'r haf daw gaeaf dro,
   I beth yr wy'n gobeithio?

Mor agos yw'r nos yn awr,—a byw gŵn
    Ei bwganod enfawr
   Yn hela gweiniaid dulawr,
   Mor bell yw llinell y wawr.

Pa les cwmnïaeth wresog,—na geiriau
    Cyfeillgarwch oriog?
   Ni ŵyr neb na Thir na-Nog
   Na gwae mud ei gymydog.

Diau bydd tywydd tawel,—a gwanwyn
        Gwynnach wedi'r oerfel,
    Eithr y galon hon ni wêl
    Y graig aur ar y gorwel.

Ymlaen, er na wn ymhle,—mae gemog
        Gwmwl hardd ei odre,
    Uwch y niwl a düwch ne',
    Darn o'r haul draw yn rhywle.

CAPEL GWAG

Mae drysi'r angof ar feddau'r gofal
A llawr y fendith yn lle i'r fandal,
Annedd y ddefod a'r weddi ddyfal
Yn brae y datod a'i bry' diatal,
Ond er gwarth ei bedair gwal,—mae rhyw raid
Yn nwfn yr enaid i fyw'n yr anial.

AR Y PUMED O DACHWEDD

'Waeth faint o goelcerthi fydd—i goffâu
        Guy Fawkes, y mae beunydd
    Â Chalangaea'n y gwŷdd,
    Well tân gwyllt yn y gelltydd.

41

YR HEN YSGOL

Mae hiraeth rhwng ei muriau—am y rhai
    Oedd mor ieuanc gynnau,
   Hen gyfoedion gofidiau
   Bore oes y gwynfyd brau.

Mae'i chysgod awdurdodol—yn aros
    Draw ar gwr yr heol,
   Hen reffynnau'r gorffennol
   I'n dwyn at ein coed yn ôl.

Mae hanes rhwng ei meini—a rhamant
    Yn nhrem ei ffenestri,
   A'i dôr yn gwarchod stori
   Heddiw a ddoe ynddi hi.

FY AELWYD

Mae cyffroadau fy myw cyffredin
A chno ei ofid yn ei chynefin,
A'r hen alaru na wêl y werin.
Mae'n faich o warth ac mae'n nef o chwerthin,
Ond gwên neu wae mae i mi'n—dir na-Nog,
O fewn fy rhiniog rwyf finnau'n frenin.

MALWODEN

Bytodd o'r swêds dair biwti,—a bytodd
    Y betys a'r persli,
   Byta'r cêl, byta'r coli,—
   Taw'n i'n Nantes, fe'i bytwn hi.

EPIGRAMAU

1 Nid yw ym Mai'n mynd ymhell
   Na'th eidion na'th ddiadell.

2 Daioni dyn yw ei dâl,
   A'i fyw ydyw ei fedal.

3 Mae alaw pan ddistawo
   Yn mynnu canu'n y co'.

4 Credu na wneir un arall
   Yw'r olaf a'r gwaethaf gwall.

5 Byr iawn yw'r rhaff, bron yr un
   Yw athrylith â'r iolyn.

6 Mae cryman allan o waith
   I'r dim yn rhydu ymaith.

Y CART SBWRIEL

Be' haru'r dyn cart sbwriel—yn gadael
    Dau gŵd heb eu diwel
   Yma ers mis, y mae'r smel
   Anhapus bron cau'r capel.

PARC YR ARFAU

Daear hud yw'r erw hon,
Cartre cewri'r tair coron.
Lawntre werdd gan olion traed
Ac ehofndra'u hysgafndraed.

Cae irlas y tîm sgarlad
A ffiol hwyl hoff y wlad,
Lle mae'r anthem a'r emyn,
Gwaedd 'Hwrê!' a gweddi'r un.
Meca'r gêm yw cyrrau gwyrdd
Stadiwm y llawr gwastadwyrdd.

Daear werdd wedi'i hirhau
Â gwlith buddugoliaethau,
Nas gwywa naws y gaeaf
Na'i hirder yn nhrymder haf.
Aitsh wen ar ddeupen y ddôl
A chennin ar ei chanol,
A chwerwedd llawer chwarae
Yn fyw'n y cof yn y cae.

Moled un wlad ei milwyr
A dewrion doe â'r dwrn dur
Yn dwgyd trefedigaeth
Rhyw ddiniwed giwed gaeth,
Ac arall rin ei gwirod,—
Pan fo gwerin Dewi'n dod
Mân us yw pob dim a wnaeth
Ym mrwydrau'i hymerodraeth,
Yma'n y gwynt mae hen go',
A hen sgôr eisiau'i sgwario.

Ow'r ias, pan welir isod
O'r twnel dirgel yn dod
Grysau coch i groeso cân
Hanes hysbys y sosban,
Ac arianfin gôr enfawr
Yn wal am faes y Slam Fawr.
Y mae'r gân sy'n twymo'r gwaed
Yn ein huno'n ein henwaed,
A chytgan y cylch hetgoch
Yn werth cais i'r rhithiau coch.

Byr gord gan y pibiwr gwyn
A phêl uchel i gychwyn,
Ac ar un naid mae'n gwŷr ni
Fel un dyn ddaw odani.
Wyth danllyd ddraig, wyth graig gre'
Nas syfl un dim o'u safle,—
A nerth eu gwth yn darth gwyn
O'u mysg yn cyflym esgyn,—
Eisiau'r bêl i'r maswr bach
Na bu oenig buanach,
Oni red fel llucheden
Yr asgell i'r llinell wen.

Ond ow'r boen,—mae meistr y bib
Yn ein herbyn â'i hirbib!
A'i ateb,—cic, myn cebyst,
Yn enw pawb, dan ein pyst!
O Dduw, y Sais di-ddeall!
O, iolyn dwl, ow'r clown dall!

Y ddwystand fawr yn ddistaw
Ac ar deras diflas daw,
Nes tyr yr agos drosiad
Yn si hir, ddwys o ryddhad.

Oerfawrth ar Barc yr Arfau,—
Sawlgwaith bu i'r 'heniaith barhau'.
Rhwydd y cariodd y cewri,
Curo Ffrainc a'r refferî.
Mae'u henwog gamp mwy'n y co',
A'r nawn 'yr own i yno'.

IEITHOEDD

Yn iaith y Sais, fe sylwais i,—os oes
    Eisiau ei faldodi
  Bydd pobol yn canmol ci,—
  Yn Gymraeg mae ei regi.

CINIO CAWL CENNIN

Hwyrbryd gorau bord gwerin,—ac ir faeth
    I gryfhau ein rhuddin,
  Da i mi rhag oerni'r hin
  Yw cael cinio cawl cennin.

YR EISTEDDFOD GENEDLAETHOL

Mae i wlad ei melodedd,—ac i iaith
    Ac i gelf orfoledd,
  Mae i Ŵyl ei gwin a'i medd,
  Mae i werin ei mawredd.

CYFAILL

Mae fy ngobeithion yn rhan ohonot,
Mae fy nioddef a'm hofnau'n eiddot,
Yn d'oriau euraid, fy malchder erot,
Yn d'oriau isel, fy ngweddi drosot,
Mae'n well byd y man lle bôt,—mae deunydd
Fy holl lawenydd, fy nghyfaill, ynot.

Ac yr oedd yn y wlad honno . . .

Fugeiliaid, y rhai a ganfu y golau
Oddi uchod, ac a glybu'r nodau,
A chael yno, wedi rhodio dridiau
Tua'r seren gan ddwyn eu trysorau,
Y dyn bach mewn cadachau—yn y gwair
Gyda Mair, wrth air yr ysgrythurau.

Ac wedi geni'r Iesu ym Methlehem Jiwdea,
yn nyddiau Herod frenin . . .

Wele, ddoethion i'r ystabl a ddaethant
Â newydd lais ac a'i haddolasant,
Ac angel a ddaeth wedi yr aethant,
A Mair a Ioseph a gymerasant
Iesu, ac a gasglasant—eu llestri,
A hi yn nosi, ac a ffoasant.

I GYFARCH T. LLEW JONES
MEWN YSBYTY WEDI DAMWAIN

Ti'r Llew hoff, wyt ar wellhad
Hyfryd fore d'adferiad.
Ti'r dewin iaith, tyrd yn ôl
O bawb, i blith dy bobol.
Ti yw 'guru' Pontgarreg,
Ti yw haul y llecyn teg,
Llew, y mae'r lle oll mor llwm,
Trist i gyd ers dy godwm.

Ti yn seiad nos Sadwrn
Yw'r ffagl sy'n gwresogi'r ffwrn,
Ti yw hwyl pob pobiad da,—
Y berem yn y bara,
Ti sy'n meithrin tylino,
Ti yw'r toes a'i surdoes o,
A thi yw ffwrn moethau ffres
Torthau can y tarth cynnes.

Ti'n awr yw cawr y cworwm,
Yr haul sy'n goleuo'r rŵm,
Ti yw iaith ein hafiaith ni,
Ti sy'n tywys ein tewi,
Ti yw llif ein digrifa,
Ti yn dy sêt a'n dwysâ.
Ti yw bothe ein deall
A doethor pob cyngor call.
Ti yw'n canllaw'n yr awen
Ti yw ein llyw hyd ffyrdd llên.

Os bu dy ais yn gleisiau
Fe wn dy fod yn cryfhau
O ddydd i ddydd yn ddi-os,

Mae rhyw wrid i'r marwydos.
Allan fe ddoi yn holliach
O'th grogi wrth bwli bach.

Os bu trist suon distaw
Yn dy roi di'r ochor draw,
Eilwaith fe ddoi, Lewelyn,
O ysbyty'r gwely gwyn
A'i ddiollwng lein ddillad,
A'r meini trwm yn y tra'd.

Dy Renault wedi'r anap
Heddiw sy'n grugyn o sgrap,
Ofnadwy ei drefn ydyw,
Mae'n syndod dy fod ti'n fyw;
Dod allan o'r fath lanast—
Mae'n wyrth, o'r fath domen wast.

Ond fe gei di gar arall,
Un llawn mor fuan a'r llall.
Yr Edwin ddewin a ddaw
A'i ddiwaelod ddeheulaw,
Gwaith prynhawn i ddawn ddi-au
Y gŵr cestiog yw'r costiau.

Dy weld yn ôl yn Nôl-nant
Imi heno fai mwyniant,
Tyred, Llew, a ni'n tewi,
Tyrd yn glau, mae d'eisiau di.

BUWCH WASOD

Rwy'n clywed rhyw drwmped draw
Ar awelon yr alaw,
Rhyw fref uwch adfref drwy'r fro
Yn ddi-nag heddiw'n ego.
Seren yn siŵr yno sydd
Yn galw yn ddigywilydd
Ar ryw gymar, i'w gymell
Ati i'r parc o'r tir pell,—
Rhyw gornsyth darw Guernsey
Neu ryw dalp o Gymro du
Yn 'rosette' goch drosto i gyd
Yn ôl o'r sioe'n dychwelyd,
Neu rhyw benwyn rhubanog,
Neu Charolais sy ar log,
Neu rhyw ych o bedigrî
Du a gwyn i'w digoni.

Digysur mae'n cylchu'r cae
Ar gyrch i brofi'r gwarchae.
Heb falio'r drain mileinig
Na dwy haen y gwifrau dig.
A all cyll wrthsefyll serch
Ac irddail nwydau gordderch?

Galw yn awr ac eilwaith
A'i llys yn edefyn llaith
Hyd ei gar yn rhwyd arian,
A gwe wlith hyd ei chefn glân.

Topi, a chrwydro tipyn,
A phori wrthi ei hun,
Yna rhoi cwrs i'r cyhûdd
A charu ei chwiorydd.

Gwae iddi ei gwahoddiad,
Mwy'n ei hoes nid oes mwynhad,
Na'r un tarw naturiol
A roesai râs ar ei hôl.
Y mae darpariaeth mwyach
I'w digoni'n Felinfach,
Heddiw'n hawdd fel na ddaw'n ôl
Ei niwsens tair-wythnosol.

CERDD BÔS

Yr oedd y mur wedi ei wreiddio am oes, a'i seiliau
i lawr ymhell islaw y wal arall, a giât o goed wedi
ei hongian gan ryw enaid ango i atal y cŵn rhag talu
ceiniog yn y pâm pys, a phwsi drws nesa rhag gwneud
carthffos dros nos yn y fan y safai wynwns ifanc.

Wele, am ddeg Wiliam a ddaeth, ac yn llawn gwin
llawenydd, wrtho'i hun i areithio yno.

"Wel," meddai ef, "I be mae'r wal 'ma dda?" A
heb ddowt byddai hi wedi ateb, onibai ei fod ef yn ei
bop, ac ni sylwodd Wil, canys wal oedd hi.

I GYFARCH MR. A MRS. EDWIN JONES
(Maer a Maeres Llambed)

I'r Maer boed heno'r mawredd,—i haeddiant
    Ei swydd bo'n hedmygedd,
   Doed y wlad i gyd i'w wledd,
   I Edwin bo'r anrhydedd.

Ac i Feryl ei deg Faeres,—erchwn
    Ein cyfarchion cynnes,
   Heb law ar y ffrwyn, ba les?
   Ba ddaioni heb ddynes?

Gŵr yw ef wna'i waith â graen,—o sylwedd,
    A solet ei sylfaen,
   Cadwrus, nid llanc diraen,
   Gŵr â'r 'chest' i gario'r tshaen.

Hi yw'r Efa gartrefol,—a'i harddwch
    Yw urddas naturiol,
   Gwraig gymen, lawen, heb lol,
   Dynes stedi'n wastadol.

Yn nyrys waith insiwrin,—ac i lwydd
    Eich Gŵyl Awst, mae'n frenin,
   Rhown ein hyder yn Edwin
   Heb erioed ei gael yn brin.

Hi yw'r faeres a'r forwm,—llaw dde llwydd
    Y llyw a'r cloc larwm,
   Hi'n ei warchod rhag codwm
   Yw 'better half' y boe trwm.

Pob llwydd i'w dyletswyddau,—a manion
    Eu mynych alwadau,
  Pob bendith i'r dref hithau,
  Mawr dda ar dymor y ddau.

I DDAFYDD FFAIR RHOS MEWN YSBYTY

Ebrwydd iawn, y bardd annwyl,—y deuech
    I'th dŷ yn iach eilchwyl,
  'Nôl i'r Fron eto'n dy hwyl,
  Diysgog yw y disgwyl.

Tyrd yn brydlon i lonni—yr awen
    Ym mro llynnoedd Teifi,
  I wlad annwyl dy eni,
  Mae Ffair Rhos yn d'aros di.

Ffair Rhos yw'r doctor gorau,—yn Ffair Rhos
    Mae gwŷr ffraeth y bryniau,
  Ffair Rhos yw'r ddôs sydd eisiau,
  Ac aer y foel i'th gryfhau.

Boed i brysur westy'r cystudd—roi llwyr
    Wellhad i'r awenydd,
  A chlau o'th rwymau yn rhydd
  A fo dy ddyfod, Ddafydd.

AR BRIODAS ARIAN IWAN A BERYL

Chwarter canrif fel rhifo—a wibiodd
    Yn un stribed heibio,
   Y mae tannau mud heno
   Yn canu cainc yn y co'.

Ai echdoe ai ddoe oedd hi,—y deuent
    Eu dau i'w priodi?
   Hwythau a ninnau'n heini
   A heulwen oes o'n blaen ni.

Oriau yr hwyl a'r hiraeth,—y disgord
    Ysgawn a'r ganiadaeth,
   Y ffrae wyllt a'r ateb ffraeth
   Yn tynhau'r hen bartneriaeth.

Ein gobaith i gyd weithian,—yw i'r hynt
    Fod iddynt yn ddiddan,—
   Y daw'r aur wedi'r arian
   I Rydygaer, crud y gân.

JOHNNY OWEN

Rhy fain i gario'i fenig,—ond un gwydn
    Yn gwbl ymroddedig,
   Mae heno dan ddyrnod ddig
   Ymron marw'n Amerig.

SGWRS RHWNG GŴR A'I GOFGOLOFN

Y Gŵr: Salw iawn yw dy weld ar slent,
      Ti, o holl feini'r fynwent.

Y Gofgolofn:
      Cynhaeaf y gaeafau,
      Y mae'r hin yn fy mreuhau.

Ef: Mae'r gilt disgleirdrwm a'r gwaith
      Llythrennu fu'n llathr unwaith?

Hi: Aeth o go' dy glod fel gwlith
      A threuliodd dy athrylith.

Ef: Oni fu o gylch dy fôn
      Racanu'r cerrig gwynion?

Hi: Uwch dy wâl bu gofal gwych
      Ennyd, a dagrau mynych.

Ef: Onid oes i'th weld yn dod
      Undyn ar bererindod?

Hi: Rhy dawel yw, ar dy lwch
      Fe dyf tw'r difaterwch.

'YN EISIAU, GWRAIG'

Rwy' am gymar fyddar, fud,—wen, fwyn, ddoeth,
      Fain, ddethe, hardd, ddiwyd.
    Os ca'i un yn brês i gyd
    Mi af â'i mam hi hefyd.

Ff. Rwy'n credu fod gennyf gŵyn
Ac achos teg i achwyn,—
Yr anner honno a brynais
Yn sêl rhyw geglyn o Sais,—
Chi'n ei chychwyn yn chwechant
Nes aeth ei gwerth yn saith gant;
Digon ni cheid, er dygyd,
O la'th i'r gath ganddi i gyd.

A. Ie'n wir, rhyfedd yw'r drafael,
Mae lwc ac anlwc i'w cael,
A thebyg i'w gily', gwn,
Ydyw y dyn â'i lwdwn,
Anodd dweud ai nwyddau da
Ŷnt, ar yr olwg gynta'.

Ff. Fore Llun y brefai'r llo,
Nid oedd dim diod iddo;
Nos Fawrth fe ffoniais y fet,—
Hi ag argoel y garget,
A'r nos Iau aeth, draw'n y sied,
Hi a'i hepil i'w haped.

A. Mae'n loes i'm calon onest
Glywed am y golled gest,
Amledd fy nghydymdeimlad
Sy atat ti'n dy dristâd,
Mewn hen dwll 'rŷm mwy ein dau,—
'Waeth nôl daeth dy siec dithau.

ENGLYN I SEBONI GWŶR MÔN,
AR YMWELIAD YNO

Dois o Deifi, fro'r prifeirdd,—i waered
    Drwy Feirion, fro'r henfeirdd,
    Hyd Arfon, fro'r cadeirfeirdd,—
    Tu yma i'r Bont y mae'r beirdd.

ATEB I HONIAD Y *WESTERN MAIL* FY
MOD WEDI GADAEL YR ORSEDD

Mae cyhoeddi'r gwir heb gêl—yn bopeth
    I bapur aruchel,
    Eithr y mae'n job ar cythrel,
    Yn straen mawr i'r *Western Mêl.*

MACHLUD UWCH CAE ŶD

Pen Llŷn yn agos, a hi ar nosi,
A'r 'polion' gwelwon am law'n argoeli,
Y cnwd Aramir drwy'r tir yn torri
Yn llwybrau i gyd man lle bu'r ogedi
Yn hud y machlud, a mi—i'w libart
Yn tremio o lidiart yr amal oedi.

RHWYG

Nid yw'r diddig ei drigias—i'w weled
    A'i bilyn yn ddiflas,
    Lle bo'r wisg yn dyllau bras,
    Brau yw edau'r briodas.

CANMLWYDDIANT YSGOL GLYNARTHEN

Yn y Glyn mae ysgol lwyd
Yn gadarn ddoe a godwyd,
Lle bu canrif o rifo
Yn nesgiau brwd addysg bro,
A darllen a sgrifennu
Yn ddi-fwlch o'r dyddiau fu..

Mae ôl llaw ei hathrawon
Yn dal yn yr ardal hon,
A'r hwyl a llawer helynt
Ar gof o'r hen amser gynt,
Ac abledd ei disgyblion
Yn codi bri gwlad o'r bron.

Y dyfal J. O. Davies
Fu ar ei chae'n fawr ei chwŷs
Ac athro Marffo am oes
Yn rhannu llafur einioes,
A'r sgwlyn coes gorcyn gynt,—
Yn eu dydd duwiau oeddynt.

Da ei gwaith oedd May'r Alltgoch
A roes ei gofal drosoch,
Ac ar ei hôl Hettie Pengraig,—
I'r tair R dwy oreuwraig,
Nes oesodd Misus Isaac,
Hithau'n grêt, nid fyth yn grac.

Aelwyd ein hwyl wedi nos
Oedd hi yn oerni'r hirnos,
Fforwm rad y ffermwyr oedd,

Neu i ddod i gyngerdd ydoedd,
Lle y deilliai diwylliant
Y plwy'n rieni a'u plant.

Boed i'w dôr gael agoryd
A newydd do i ddod o hyd
I fwrw canrif arall
Efo'r llwydd a fu i'r llall.
Athen Glynarthen yw hi;
Glynarthen, glyna wrthi.

ER COF AM LYN,
    FY MRAWD YNG NGHYFRAITH

Y di-glod goleuedig,—y lliaws
        O'r lle daw'r ychydig,
    Y gwraidd sy'n bywiogi'r wig,
    Y bonedd anarbenig.

Hen bethau bychain bythol—oedd ei fodd
        I fyw yn wastadol,
    Ac yn stŵr ein ffwndwr ffôl
    Y ddawn i fyw'n hamddenol.

Dirybudd, diarwybod,—o'n golwg
        Fe giliodd o'r cysgod
    I'r glyn, a'r un mor ddi-glod
    Oedd ei yrfa a'i ddarfod.

OND GAIR EIN DUW NI . . .

Y mae grym y Gair o hyd
Ym Mrynmair yn ymyrryd,
Y Gair sy'n gorchfygu'r fall,
Yr hen Air o'r Bryn arall,
Ar waethaf llif canrifoedd
Y mae'r Gair yma ar goedd.

Blagurodd llawer derwen
Ddoe o wraidd y ddaear hen,
A mynd, wedi tymor maith,
Yn ôl i'r ddaear eilwaith,
Ond er i'r pry' bydru'u pren,
'R un heddiw yw'r Winwydden.

Eginodd mewn gogoniant
Freniniaethau gynnau, gant,—
Eu geni hwynt a'u gwanhau,
A diweddu o'u dyddiau,
Ym Mrynmair yma'r un modd
Teyrnas Gras a'u goroesodd.

Gwm y Bregeth a'r Pethe,
Annwyl iawn yw hyn o le,
Rho fwrw canrif arall
Gyda'r llwydd a gaed i'r llall
Dad o'r nef, rhag dod o'r nos,
Dyro iechyd i'r Achos.

I D. J. ROBERTS

Gyfaill dynoliaeth gyfan
Yn wyn neu ddu'n ddiwahân,
Heno daw'r fro i'w fawrhau
'N unedig ei henwadau.
Dan ei groes fe roes i'w frawd
Weinidogaeth pum degawd.

Da i awen fu'i eni
A'i arwain ef i'n bro ni
I roi o nerth yr hen win
O'i gawg aur i go' gwerin,
Uno â ni yn ein hwyl
A thôn hiraeth ein harwyl.

Pa lygad wrth ymadaw
A fesur lafur ei law?
Pa glod cerdd dafod, pa dant
Iddo all roi ei haeddiant?
Daioni dyn yw ei dâl,
Ei fyw ydyw ei fedal.

I STEPHEN J. WILLIAMS

Nid gwyrth lydanfrig ei ddysgeidiaeth
Dawel â'n deil yn ei hudoliaeth,
Nid oes o weini i'w wlad wasanaeth
I'r rhai â'i hedwyn sydd yn ysbrydiaeth,
Nid golud ei go' helaeth—sy'n gafael,
Nid ei ddoniau hael ond ei ddynoliaeth.

GŴR A'I GI

Daw, gyda'i gi du a gwyn
Ar ei chwimwth orchymyn,
Ŵr di-frys i droed y fron
Am y ras i ymryson,
A thrwy'r porth ar y llethr pell
Y daw hedyn diadell.

Ar hyd y cwr rhed y ci
Dinacâd, yna'u codi
Ar gynllyfan chwibaniad
I lwybyr swil ei berswâd,
Ac â'i lygaid tanbaid tyn
Y defaid wrth edefyn.

Ei ufuddhad fydd ddi-os,
Ar ei dor, "Tyred", "Aros",
I'w tywys ar droed deall
I'r lloc o lidiart i'r llall.

Yna'u dal a didoli
Yr un â nod arni hi,
Dwy glust y gwylio astud,
Dau lygad cymhelliad mud.

Pwt o ras, gwib i'r aswy
Ac i'r dde i'w gwahardd hwy,
Gan drechu ag un edrychiad
Bwnio carn eu pob nacâd,
Yna'u hel ar isel wŷs
Drwy gil dôr gwyliadwrus.

TÂN LLYWELYN

Mae isel dân Llywelyn
Yn para yng Ngwalia 'nghyn,
Grymusodd rhag gormeswr
Ei olau'n dwym yng Nglyndŵr,
A'i farwor a adferwyd
Yn gannwyll losg Morgan Llwyd.

Penyberth yn goelcerthi,
A'i wres yng nghalonnau'r Tri,
A'i olau ar ruddiau rhwth
Wynebau gwŷr Carnabwth
Wrth gynnau porth y gynnen
Hyd ei sail yn Efailwen.

Megis ar ros yn mygu,
Mae'n dwym dan y mannau du.
Er marw bron gwreichionen,
Awel Mawrth a'i try'n fflam wen
Fan arall a dyr allan,—
Mae'n anodd diffodd ei dân.

CLAWDD OFFA

Nid wal sy'n rhannu dwywlad,—na dwrn dur
    Rhyw hen deyrn anynad,
  Nid rhith o glawdd trothwy gwlad,
  Nid tyweirch ond dyhead.

I ANTI KATE

Yn ddeg a thrigain heini—haelaf fawl
    Fo i Anti Katie,
   Ein thenciw heddiw iddi
   Am a wnaeth er ein mwyn ni.

Y wraig a noddai'r egin—am hir derm
    Ym mro deg y figin,
   Rhoes ei hoes i Daliesin
   Heb erioed ei chael yn brin.

Hael oedd i'r sawl a'i haeddai—ei geirda
    I gywirdeb difai,
   Rhoddi ei bys lle'r oedd bai,—
   Y cerydd a'i cywirai.

Byw yn iach heb wanychu,—(da gwybod
    Fod gobaith, gan hynny!)
   Atolwg y mae'r teulu
   O Benygraig yn byw'n gry'.

Yn y cyhudd dan y coed,—yn rhadlon
    Hyfrydle ei maboed
   Boed i'r Ne' nerthu'i henoed
   A chaniatáu ei chant oed.

DRESEL

Mi a welais am eiliad—yn ei sglein
    Ar bwys clwyd y farchnad
   Gyda'i lliain, nain fy nhad
   Yn ei chwyro â chariad.

ARWYDDION TYWYDD

1 Da i olwg medelwr
  Yw lleuad yn dala dŵr.

2 Bwrw hwyr, bwrw oriau,
  Glaw cyn deg a haul cyn dau.

3 Dwg agor yn rhy fore
  Law ar y gwynt erbyn te.

4 Lleuad fo'n goch ei llawes
  Sy'n addo rhagor o wres.

5 Da o hyd y dywedir
  'Mae'n llawn glaw, mae Enlli'n glir'.

6 Coch cynnar, tywydd garw,
  Coch hwyr, heulwen, ebe nhw.

7 Â'r broga'n llwyd, llwyd y llyn,
  Mae haul mewn broga melyn.

RHWYG

Gapel y gwae a'r ffraeo;—mae i'w weld
   Yn mynd â'i ben iddo
  A rhwyg yn ei ffenestr o,
  A chorryn yn ei chweirio.

AR BRIODAS RHIAN MEDI, MEDI 1983

Y mae ŷd pan ddel Medi—yn goron
    Gweithgarwch y cwysi,
    Boed wyn ym mhob daioni
    Y gwlith ar dy wenith di.

Y mae adar ym Medi—yn heidio
    I adael y gelli,
    Ond ar dy hynt, dere di
    Weithiau i lwyn nyth eleni.

Mae i'w gweled ym Medi—yn y tarth
    Leuad hud yn codi,
    Ar hyd y daith rhodia di
    Heol wen ei goleuni.

Mae i'w glywed ym Medi—ein diolch
    I'r Duw sy'n ein porthi,
    Yn hwyl y dôn, eilia di
    Y gân am dy ddigoni.

Mae o hyd ffair ym Medi,—a'r alaw
    Ar awelon miri,
    Yn sŵn ei dawns, una di
    Draw dy droed i'w direidi.

Y mae adeg ym Medi,—onid oes,
    Pan fo storm yn codi?
    Nes rhedo'i chwrs, rhoed i chwi
    Goeden i gydgysgodi.

Hen bridd ein geni ninnau—yn helaeth
    A'ch cynhalio chwithau,
    A'r un haul draw'n ei olau
    Eto a'ch dygo chwi'ch dau.

I MARIE

(Merched y Wawr)

Hi yw'r wraig i ni'r gwragedd,—hi yw sail
    Solet ein gweithgaredd,
  Mam bro yw ym mhob rhyw wedd,
  Ei harweiniad yw'n rhinwedd.

(Ar y Cyngor)

Cefn y gwaith yn Llangeitho,—a'i hysgwydd
    Wrth bob tasg a fyddo,
  A'i harwyddair,—hyrwyddo
  Y Gymrâg ple bynnag bo.

(Y Cwis Llyfrau)

Timau cwis llyfrau yn llu—a lanwodd
    O luniaeth, a'u dysgu,
  Llyw trwyadl pob cystadlu
  A nyth o hwyl yn ei thŷ.

(Yn y Capel)

Diollwng law diwylliant,—a'r awen
    A fu'n creu'n hadloniant,
  Llaw gabol organ moliant,
  A thŵr plwy ym mhethau'r plant.

MARIE
(Ar ennill ohoni Fedal Syr T. H. Parry-Williams)

Ei mawl a rodded Lliw yn hael
   I'r wraig sy'n cael y fedal,
A roes ei hoes i'r fro a gâr,—
   Dihareb yn ei hardal,
Y mae i'r Brifwyl ei mawrhau
   I ninnau'n destimonial.

Pob peth yn drefnus a di-ffws,
   Boed lywio bws neu barti,
Mewn Swyddfa Bost neu Ysgol Sul
   'Ddaw neb ar gyfyl Marie,
Mewn cwrdd a Chyngor, dynes lawn
   Â dawn i wneud daioni.

Ein clod i un dros gyfnod maith
   Ym mhethau'r iaith fu'n gweithio,
A fu i'r pethe gore'n graig,—
   A champwraig am areithio,
Heb os mae'n ddynes benigamp,
   A'i stamp ar fro Llangeitho.

CEFN GWLAD

Os yw'r dre yn ddyhead—a ddenodd
   Ddynion o'r dechreuad,
  Mae ynom bawb ddymuniad
  I fyw yn glòs wrth gefn gwlad.

I T. LLEW JONES

Dros chwarter canrif ar sgwâr llengarwch
Pentref yr oed fu pen tir hyfrydwch,
A thurio i goludd coeth ddirgelwch
Ffitio geiriau yn yr hen grefftgarwch,
Minnau hyd risiau'r dryswch—yn cerdded
Yn llaw agored ei gyfeillgarwch.

Y nosau brawdol yw fy ysbrydiaeth
A'm llyw yn wastad yw ei feirniadaeth,
Mae mwy o elw yn ei ganmoliaeth
Na'r holl anoddau a ŵyr llenyddiaeth,
A'i guro mewn rhagoriaeth,—fwy na hon
Ni fedd y galon un fuddugoliaeth.

Nes caeir drws yr hirgwsg ar drysor
Digrifa celf gydag ef a'r Cilfor
A blasu'n amal bilsennau hiwmor
Neu englyn Alun, yr hen ben-telor,
Bydd coffa da gen i'n stôr—am y tri
Hyd nes distewi geiriogi rhagor.

R. BRYN WILLIAMS

Derwydd-lwydfardd y Wladfa,—a llenor
        Holl hanes Mimosa,
    Mwy'n ein cof, mae a nacâ
    I hwn fawl ei dorf ola?

AR YMDDEOLIAD Y PARCH. D. J. EVANS

Pan fo'r talcwaith wedi'i orffen
   A'r gŵys ola wedi'i chau,
Iawn i hwsmon yw cael gorffwys
   I fwrw llygad dros y cae.

Draw ar dalar deunaw mlynedd
   Pwy a omedd ei foddhad,
Pan fo graen ar braidd a buches,
   Pan fo cynnydd ar yr had?

Dim ond ef sy'n gwybod trafferth
   Dyddiau oer y gwynt a'r glaw,
Gyda mynych siomedigaeth,—
   Balc fan yma a phlet fan draw.

Dim ond ef sy'n cofio'r golled,—
   Ambell ddafad aeth ar strae,
Ambell oen ar fore'r llwydrew
   Wedi trigo ar y cae.

Dim ond ef a ŵyr orfoledd
   Y tymhorau yn yr haul,
Oriau ehediadau'r galon
   Pan fo'r cyfan yn werth y draul.

Hawdd y goddef, mewn direidi,
   Gyngor cyfaill er ei les,
Canys gŵyr, ar ddydd y cyfri,
   Y bydd y Mishtir Tir yn blês.

CREADURIAID
(Croen y Ddafad Felan)

Y mae y creaduriaid ers tro'n ei chael-hi'n galed,
Y lloi a'r moch a'r iâr fach goch,
Yn ôl yr hiwmanistied,
Yn cael eu camddefnyddio cyn cael eu dienyddio,
A'u rhoi mewn jâl a'u trin yn sâl
Er mwyn i ddyn gael bolied.

Yr oedd yr ieir yn gori a chrafu bant 'i gwer-hi,
Eu tynged hwy ers amser mwy
Yw dodwy fel caneri,
Y ceiliog oedd yn llawen yn canu ar y domen,
Ond anodd yw i unrhyw gyw
I ganu heb gywennen.

Y llo oedd gynt yn llencyn yn byw ar ben y bancyn,
Yn awr y mae ymhell o'r cae
Ynghau rhwng pedwar plancyn,
A'r mochyn oedd yn llawen a'i drwyn wrth droed y goeden,
Ond ni chaiff sgwlc mewn plas o dwlc
Na thyrchu'r un dywarchen.

Sdim iws rhoi ffowls mewn batris, sdim iws rhoi moch mewn
Na chadw lloi heb le i droi,   ffatris,
Mae'n broblem gas i'w datrys,
Ond os yw dyn yn greulon wrth drafod ei gyd-ddynion,
Nid yw'n beth syn ei fod fel hyn
Wrth greaduriaid gwirion.

REFFERENDWM CAU'R TAFARNAU

Mae 'na rai sydd am weld agor ar y Sul,
Mae 'na rai sydd am roi bar ar y llwybyr cul,
Mae T. J.'n dweud fod alcohol
Yn boddi'r fflam yn Rhos-y-bol,
A'i fod i'n canu mawl yn canu cnul.

Mae nhw'n dweud fod hawl i yfed heb nacâd
Yn mynd i ddwyn twristiaid 'fewn i'r wlad,
Os wyt am weld y Fro Gymreig
Yn dal i ffynnu, cymer Haigh,
A fotio am gael potio, neno'r Tad.

Mae'r bragwyr sydd yn gwerthu'r biter êl
Yn canu'n awr, 'Mae arnaf eisiau sêl',
Mae'r 'wets' yn eich poeni chi a fi
Yn union 'r un fath a Mrs. T.,
A rhai yn bwrw'r bai ar Ddafydd Êl.

I bob un sy'n ffyddlon dan yr iau,
Dyro groes i gadw'r bar ar gau,
Bob saith mlynedd, glywais i,
Daeth y Pla ar Pharaoh ers llawer dy',
Mae'r pla o hyd yng Nghymru yn parhau.

TWRW TANLLYD

Cwrw a sgrechian canu,—gwenieitho'r
    Genethod a phechu,
  Mae hei leiff yma i lu,—
  Rwy'n rhy hen nawr i hynny.

I CASSIE DAVIES YN BEDWAR UGAIN

Pe bawn i'n digwydd gwisgo pais,
   A'm llais i fel y llinos,
A phe bai'n wastad yn fy mron
   Ganeuon y werinos,
Mi fyddwn ryw chwarter y ffordd i fod
Yn deilwng o'r sawl yr wy'n dathlu'i chlod.

Pe bawn i'n medru cario llwyth
   Fy nhylwyth ar fy nghefen,
Heb ado i hynny grymu 'ngwar
   Nac achwyn ar y drefen,
Fe fyddwn i hanner y ffordd, fwy neu lai
I gael bod yn debyg i'r H.M.I.

Petawn i'n chwedl yn fy oes,
   A'm moes i yn ddilychwin,
A phe safaswn ar fy nhra'd
   Dros fy iaith a'm gwlad o'r cychwyn,
Mi fyddwn wedyn dri chwarter ffordd, bron
I haeddu cael f'enwi 'run anadl â hon.

Pe doi o'm gwefus yn ddi-nag
   Gymra'g na bu ei loywach,
Fel dŵr y Teifi man lle tardd,
   Na wybu bardd ei groywach,
A phed awn yn hŷn heb fyned yn hen,
Byddwn rywbeth yn debyg i Catherine Jane.

HWCH FFYNNON-CYFF

Yn ôl yn y saithdegau
   Roedd hwch yn Ffynnon-cyff
A gaed yn methu sefyll
   Rhyw fore yn ei nyth,
Dyna lle'r oedd hi'n eistedd
   Gan ddal ei phen yn gam
Fel petae wedi meddwi,
   Ac yn hidio dim o'r dam.

Fe dreiwyd pob rhyw ddyfais
   I'w denu at ei bwyd,
Bwced, a galw 'Shw-wt',
   Ac ysgwyd barrau'r glwyd.
Ond bob tro y ceisiai godi
   Fe gwympai lwr' 'i thin,
A phetai'n medru chwerthin
   Byddai wedi, wir i ddyn.

Daeth fet o Aberteifi
   'Mla'n rywbryd y prynhawn,
Yr hwn a wthiodd iddi
   Nodwydd, dair modfedd lawn.
Fe gyffrodd rywfaint wedyn
   Yn ôl a glywais i,
Ond nôl yr aeth i eistedd
   Fel tae ar y W.C.

Fe holwyd y perchennog
   Gan y milfeddyg syn
Pa bethau a fwytasai
   Y dyddiau olaf hyn,

"O, tipyn o flawd barlys,—
    Sbarion y cawl a'r uwd,—
O, ie a dau fwcedaid
    O waelodion yr 'hôm briwd'."

A dyna'n hollol syml
    Oedd y cyfan oedd o'i le,—
Yr hwch o dan ddylanwad
    Y stwff sy'n troi T. J.
Ac mae sôn o hyd yn Ferwig,
    Nid am *lamb* a stêc a biff,
Ond am facwn bendigedig
    Yr hwch o Ffynnon-cyff.

Y DDIOD

Er chwennych ffroth ei sothach,—wedi'i gael
    Nid yw gŵr ddim elwach,
    Ond ei fod am ennyd fach
    Yn piso yn hapusach.

Yfais un ar un cynnig,—yna dau,
    (Roedd hi'n dwym gythreulig!)
    Â'r chweched neu'r seithfed swig
    Disychedais ychydig.

I OFYN BENTHYG WHILBER

Yn fy angen, Ben, rwy'n bod,
O neb rwyt ti'n fy nabod.
Yn fynych y gofynnaf
Ac o hyd fy nghais a gaf.
Cans beth, rwyt ti yn ddioed
Yn ei roi heb fethu 'rioed.

Rwy'n erfyn eto unwaith,
O'th ryfedd amynedd maith,
I ti ostwng clust astud
Ataf fi, y tlota'i fyd.

Yr helbul 'nawr yw whilber,—
Ys gwn, yn dy gartws gêr
Oes un, waeth pa mor ddi-sut,
Y cawn ei benthyg gennyt?

Mae amaethyddiaeth heddiw
Yn grefft y technegol griw,
Anferth beiriannau synfawr
Yw y norm ym mhobman nawr.
Nid cowman ond mecanic
Na weithia â rhaw na thoi rhic,
Peipen yr oel yw popeth,
Ers amser, pŵer yw'r peth.

I Seren nid oes aerwy
Na'r un math o sodren mwy,
Nid oes garthu beudy'n bod,—
Mae 'na beiriant mwy'n barod
Ar y tir i wasgar tail,
A bws i fynd â'r biswail,
Aeth whilberi'n brin mewn bro,
A'r gweithwyr fedr eu gwthio.

Yntau'r hwsmon, tra esmwyth
Ydyw mab y bywyd mwyth.
Ble mae'r dwylo ceinciog gynt
A chyrn y bicwarch arnynt?
Wrth frasáu aeth yntau'n was
I ofalaeth sifilwas.

Ofni'r wyf yn eu rhyfyg
Y bydd plant ein ffyniant ffug
Yn rhy feddal i'r fyddin,—
Yn rhy wan i ddal y drin
Maes o law, pan ddaw yn ddydd
Drycinog wedi'r cynnydd.

Rhag ofn y daw'r gofyn du,—
Y pyllau olew'n pallu
A'n peiriandai mewn prinder
Yn methu gyrru eu gêr,
Pan na byddo'r tractorau
Yn rhuo ragor i hau,
A phan fydd, rhyw ddydd a ddaw
Angen talent deuheulaw,
Hyn o gysur a geisiaf,
A mi'n hŷn, dymuno wnaf
Eto gael cydio'n y cyrn
A'u codi fel y cedyrn,
A gyrru'i llwyth yn gawr llên
Hyd ymyl pwll y domen,
Gan hamddena'n haeddiannol
Cyn olwyno eto'n ôl.

Gymar, rho fenthyg imi
O'th offer dy whilber di,
I'm dwyn i i'm doeau'n ôl
O ffws ein hoes affwysol.

CLOCH Y LLAN

Yn nhwrf ein mynd diderfyn,—yn y gwynt
    Y mae'n galw am dipyn
  Yn ôl i gof Suliau gwyn
  Ein heneidiau'n ei nodyn.

Y PWLL TRO

Gwae y corwg yw cerrynt—ei gylchoedd
    Os golchir ef iddynt,
  Â yn chwil, yn gynt a chynt,
  Yna'i dynnu odanynt.

BUSBY (Aderyn y Teleffon)

Y dwndwr neu'r mudandod—yw hanes
    Y ffôn ers sawl diwrnod,
  Be sy' ar Busby yn bod?
  Man a man cael clomennod.

CLOWN

Fry yn feddw ar wifren fain—y llinell
    Sydd rhwng llon a llefain,
  Ei wên drist a'i wallt llwyn drain
  Yw ein hwyneb ni'n hunain.

I MRS. MADGE EVANS YN BEDWAR UGAIN

Pedwar ugain mor heini—ag ydoedd
    Gyda'r Cyrnel Brenshli,
    Nid â'i henoed â'i hynni
    Na'i hoes faith â'i hafiaith hi.

'Run chwerthin, 'run ffraethineb—i'w storiaus
    Di-ri, 'run disgleirdeb,
    'Run wit i'w chywrain ateb,
    Heb roi'n ôl air sbâr i neb.

Diwyd uwchlaw pob deall,—hi haeddodd
    Hoe blynyddoedd diball,
    'Rŷm heno'n gobeithio gall
    Yn awr gael ugain arall.

Y BAD ACHUB

Diaros yw tosturi,—ac ebrwydd
    Yw rheidrwydd gwrhydri
    Ar greigle man lle bo lli
    Trychineb yn trochioni.

FY NYMUNIAD

Gweld, ryw adeg, ail droedio—yr undaith,
    A'r un ffrindiau eto,
    Yr un hwyl, a'r un wylo,
    Yn ôl y drefn yr ail dro.